아름다운 뿔을 가진 사슴이 있었습니다.

어느 날 아침

이진희 쓰고 그림

글로연

어느 날 아침,

눈을 떠 보니 내 아름다운 뿔 하나가

사라진 거야.

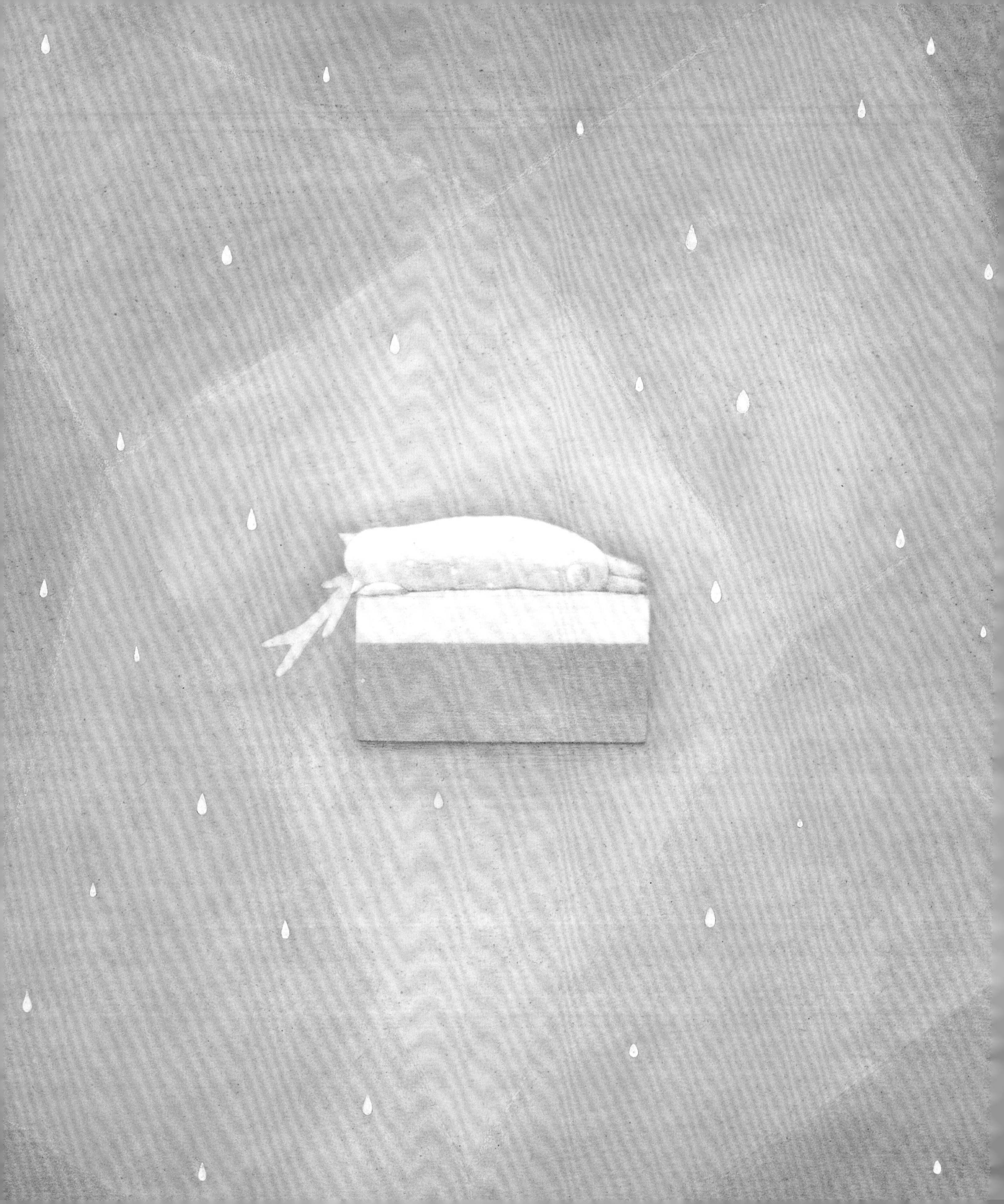

며칠을 울다가 생각했어.

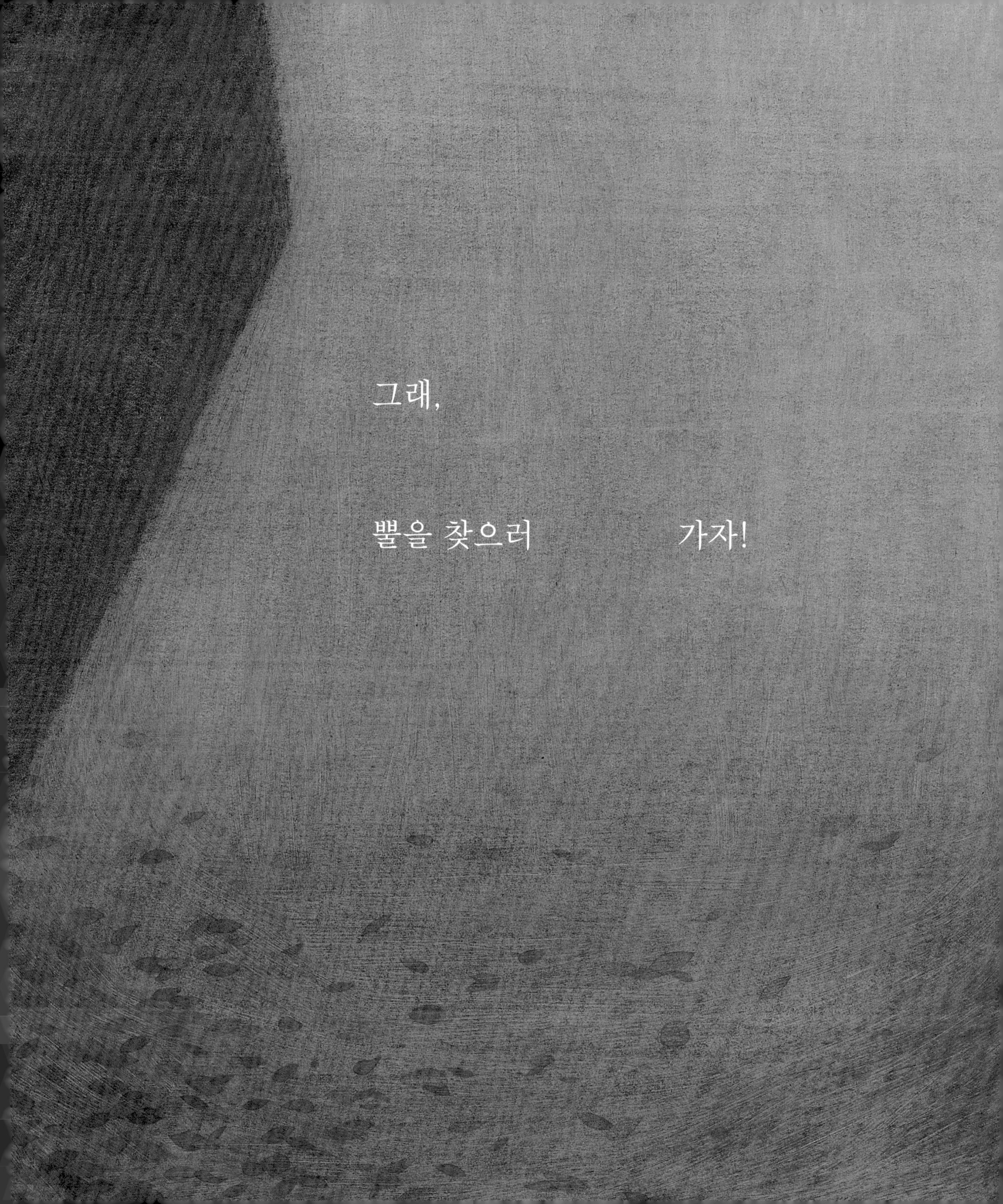

그래,

뿔을 찾으러 가자!

기운을 내어
발을 내디뎠지만
갸 우 뚱 갸 우 뚱
쉽지는 않았어.

고마워.

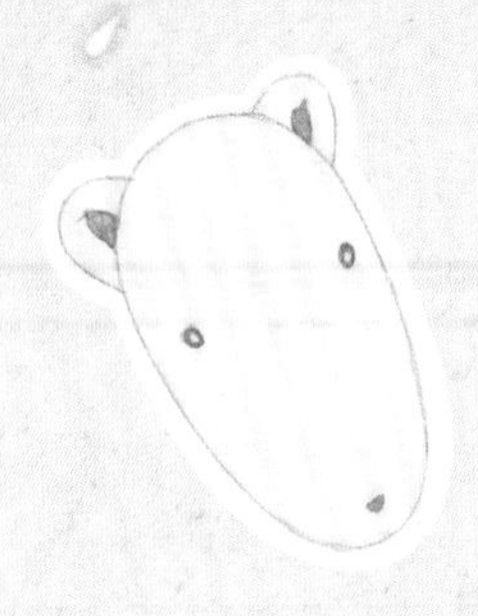

나뭇가지 뿔이 도움이 되었으면 좋겠다.

아주 마음에 들어.
뿔을 잃어버려서 힘들었거든.

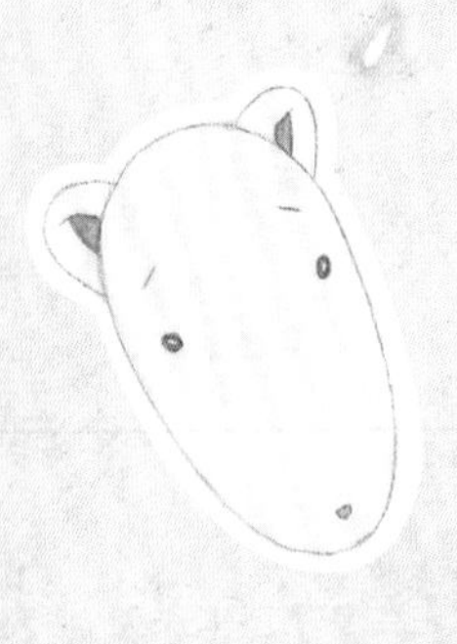

그랬구나. 나도
비가 내리던 어느 날
아끼던 나뭇가지를
잃어버린 적이 있어.

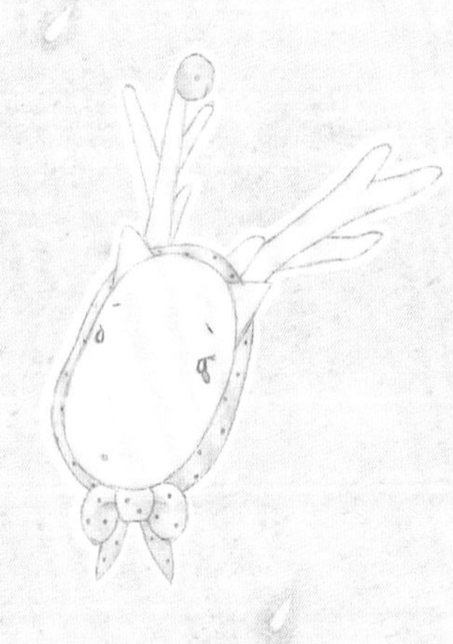

정말 슬펐겠다,
개미핥기야.

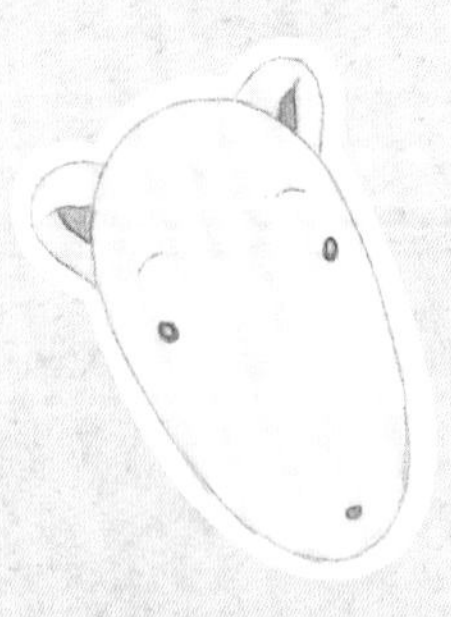

응, 이젠 괜찮아.
너도 기운 내!

나는 다시 걷기 시작했어.

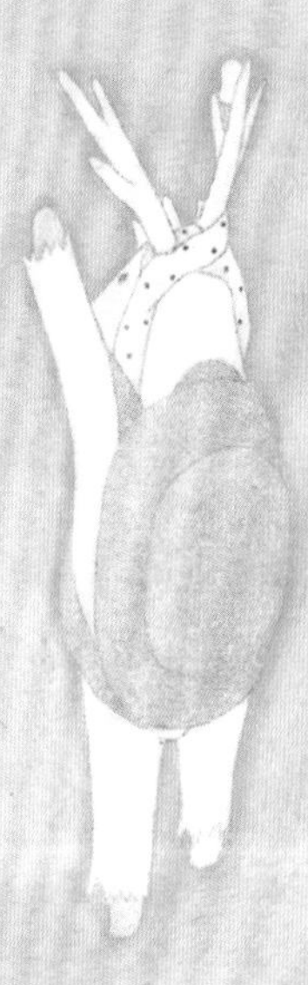

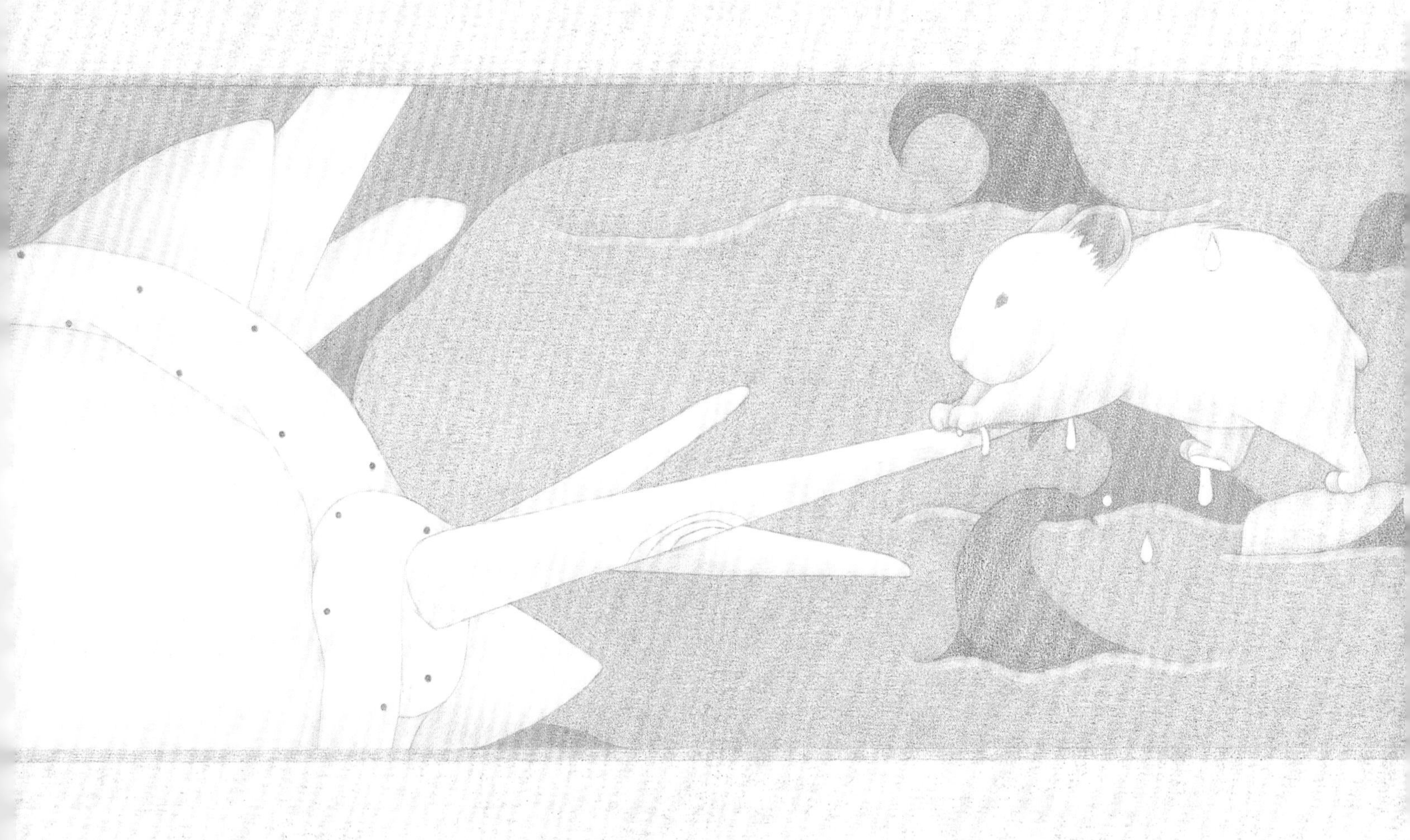

올라오렴.

내 나뭇가지 뿔에

쥐토끼야, 울지 말고

고마워.

너의 뿔이 우리 아이를 살렸어.

이건 친구가 준 나뭇가지야.
나는 뿔 하나를 잃어버렸거든.

그렇구나. 우리도
바람이 불던 어느 날
말려 놓았던 겨울 식량을
잃어버린 적이 있어.

무척 속상했겠다.

응, 이젠 괜찮아.
너는 뿔을 꼭 찾게 될 거야.

나는 다시 걷기 시작했어.

앗! 비가 온다.

응?

달아,　　왜 울고 있니?

내 반쪽을 잃어버렸어.

어느 날부터
말도 없이
조금씩

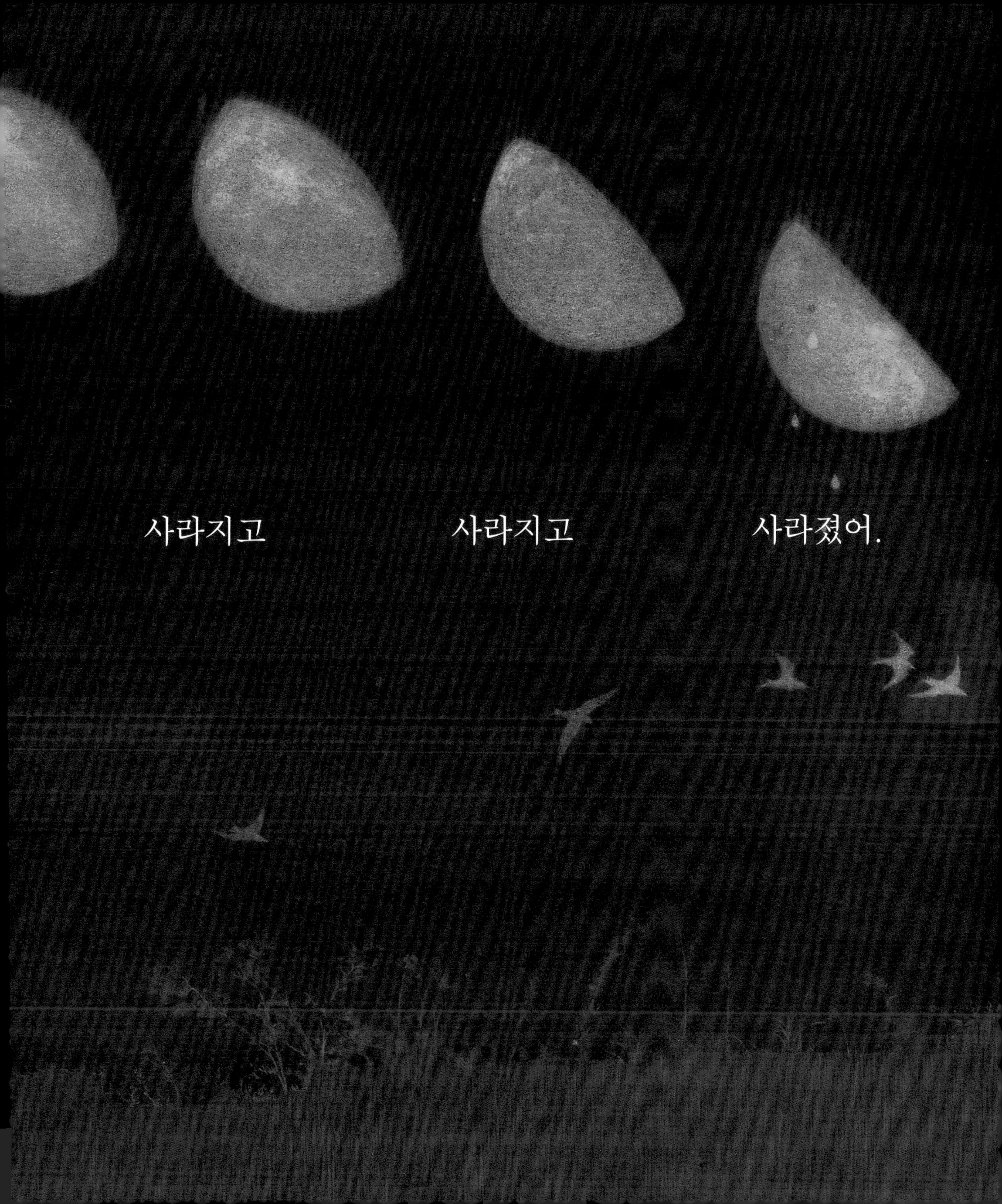
사라지고
사라지고
사라졌어.

힘

LH

여행은 계속되었어.

많은 친구들을 만나고 이야기도 나누었지.

하지만

내 뿔을

찾을 수는

없었어.

내 뿔은 어디에

있을까…….

남은 뿔도 떨어지고……. 나는

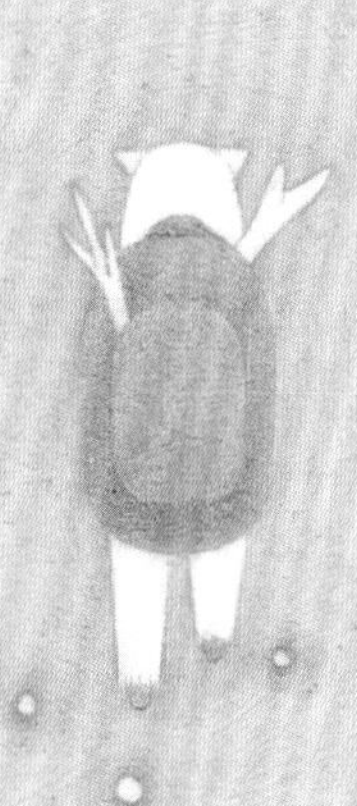

떠나온 집을 향해 걷고 또 걸었어.

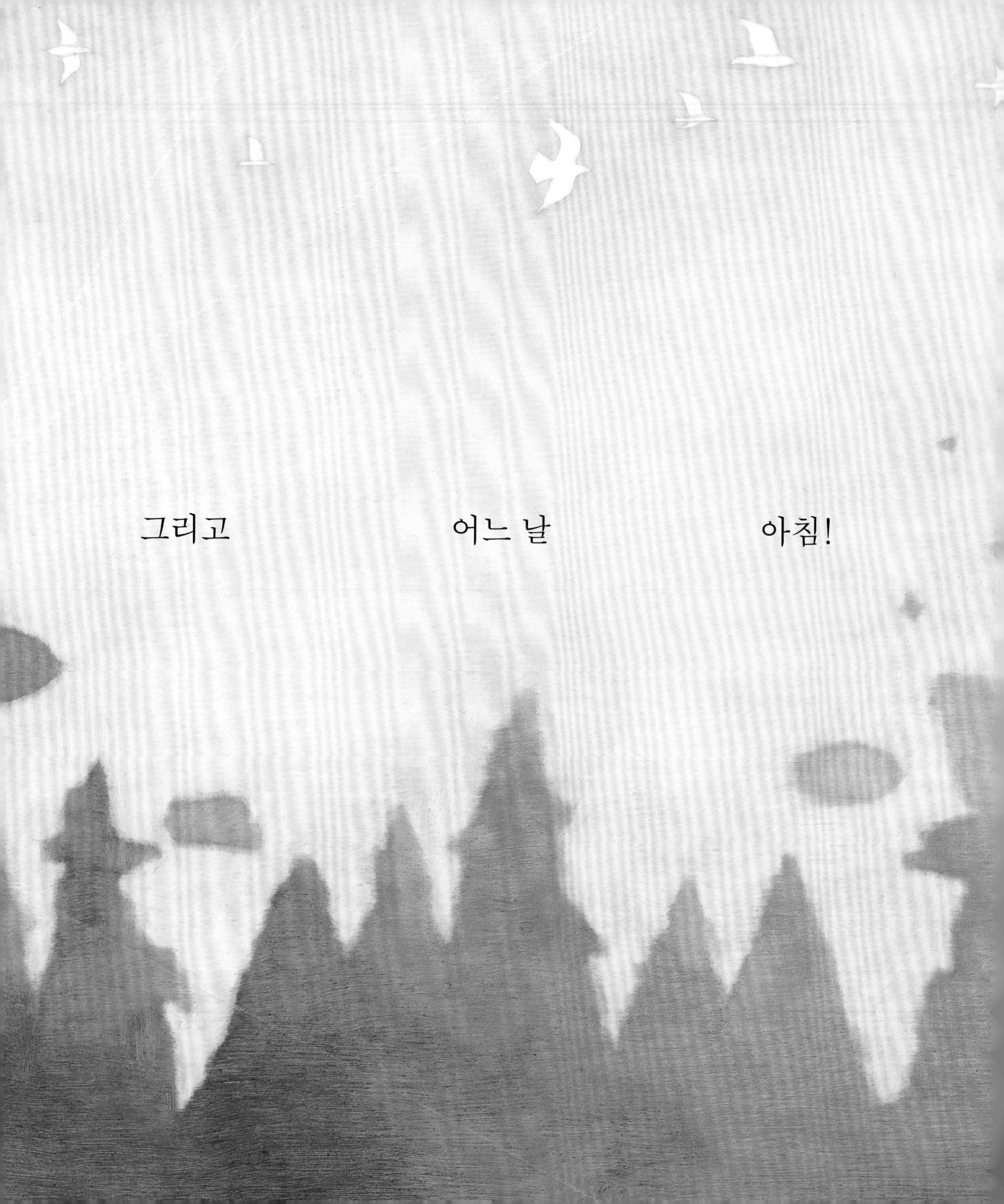

그리고 어느 날 아침!

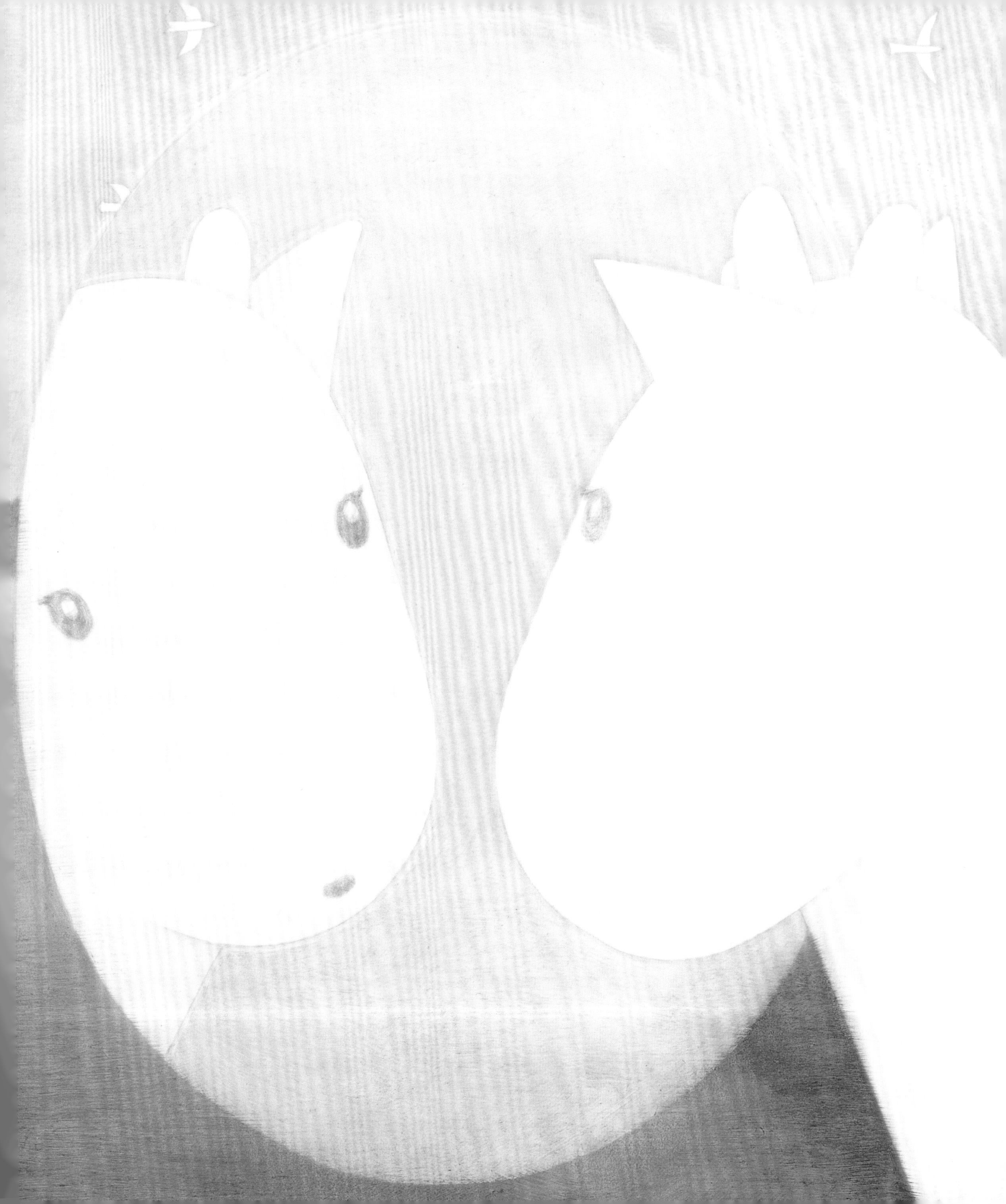

아름다운 뿔을 가진 사슴이 있습니다.

이진희
따뜻한 5월의 사슴을 좋아합니다.
제1회 CJ 그림책상 일러스트레이터,
볼로냐어린이도서전 2020 올해의 일러스트레이터에
선정되었습니다. 지은 책으로 『도토리시간』이,
그림을 그린 책으로는 『책 읽어 주는 할머니』,
『기다릴게 기다려 줘』 등이 있습니다.
자연을 바라보는 시선으로 그림을 그립니다.
www.leejinhee.kr

글로연그림책 3
어느 날 아침

1판 1쇄 발행 2012년 12월 25일
개정판 1쇄 발행 2018년 11월 25일
개정판 3쇄 발행 2023년 12월 25일

글 그림. 이진희
책임편집. 오승현
디자인. 워크룸

펴낸이. 오승현
펴낸곳. 글로연
출판등록. 2004년 8월 23일
제 313-2004-196호

서울특별시 마포구 양화로 133
1307호
전화. 070-8690-8558
팩스. 070-4850-8338
전자우편. gloyeon@naver.com
홈페이지. www.gloyeon.com

ISBN 978-89-92704-63-2 77810
CIP 2018035442
사용연령. 0세 이상

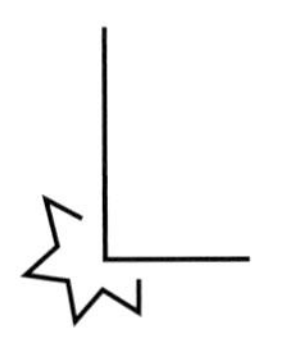

책 모서리가 날카로워 다칠 수 있으니 주의하세요.